LES ÉDITIONS Z'AILÉES
22, rue Ste-Anne
C.P. 6033
Ville-Marie (Québec)
J9V 2E9
Téléphone : 819-622-1313
Télécopieur : 819-622-1333
www.zailees.com

DISTRIBUTION
MESSAGERIES DE PRESSE BENJAMIN INC.
101, Henry-Bessemer
Bois-des-Filion (Québec)
J6Z 4S9
Téléphone : 1-800-361-7379

Infographie : Le Reflet I.D. Grafik
Illustration de la page couverture : Richard Petit
Maquette de la page couverture : Gabrielle Leblanc
Texte : Amy Lachapelle
Crédit photo : Mylène Falardeau

Impression : Mars 2010
Dépôt légal : 2010
Bibliothèque nationale du Québec
Bibliothèque nationale du Canada

ISBN : 978-2-923574-75-2

Imprimé sur papier recyclé. ♻

Les Éditions Z'ailées remercient la SODEC
pour l'aide accordée à leur programme
de publication.

SODEC
Québec ⬛⬛

LA MAISON PIÈGE

AMY LACHAPELLE

À quelque chose
malheur est bon.

Proverbe

LE VANTARD

Dans la cour d'école, plusieurs jeunes disputent une partie de soccer. Parmi eux, il y a Olivier Simard, un garçon de courte taille. Ses amis sont tous plus grands que lui, mais il est quand même le plus rapide. Il court à vive allure entre ses compères, évite un grand gaillard dans la même classe que lui et se retrouve seul devant le but. Le gardien, Cédric, le fixe droit dans les yeux. Olivier s'élance et marque un point!

— *Yessir*! clame de joie Olivier.

— Ce n'est pas bon! réplique tout de suite Cédric, d'une voix qui rappelle le miaulement d'un chat.

— Mais pourquoi?

— Parce que... parce que tu as triché!

— Je n'ai pas triché, tu dis n'importe quoi!

Cédric, très mauvais perdant, défie Olivier en levant le nez bien haut. Il doit toujours être le meilleur.

Sachant qu'il est inutile de discuter avec lui, Olivier regarde son meilleur ami Théo et lance :

– Si c'est comme ça, moi, je ne joue plus!

Théo emboîte le pas de son copain pour le convaincre de rester.

– Mais voyons, ne pars pas ainsi! Ce n'est pas sérieux!

– Non, TON ami Cédric Parenteau n'accepte pas de perdre, alors moi, je fiche le camp.

– C'est ton ami aussi, tente de se défendre Théo.

– Par ta faute, oui!

Au même moment, la cloche qui annonce la fin de la récréation retentit dans la cour d'école. Les deux camarades se rendent à leur casier pour ranger leur manteau et leurs bottes. Olivier, s'étant calmé, discute avec Théo comme s'il ne s'était rien passé dans la cour d'école. De toute façon, Théo est habitué aux frustrations de son ami. Dès qu'il s'agit de Cédric, Olivier n'a aucune patience. Comme s'il y était allergique!

Cédric s'immisce entre eux et leur annonce fièrement :

— Vous savez quoi? Mon père m'a acheté un nouveau bâton de hockey.

— C'est *cool*, dit Théo, un peu envieux.

— C'était le plus cher au magasin! s'exclame-t-il.

– C'était le plus cher au magasin, répète Olivier en marmonnant.

J'en ai marre de lui. Tout ce qu'il reçoit est mieux que ce que les autres ont, il doit absolument être le meilleur. Quel vantard! se plaint intérieurement Olivier.

Cédric est l'ami de Théo. Mais pas celui d'Olivier, même si ce dernier et Théo sont inséparables. Ils ont grandi presque voisins et passent beaucoup de temps ensemble. Assez que sa maman les compare à une paire d'espadrilles : si un est dans les parages, l'autre n'est jamais bien loin!

Depuis que Théo a commencé à

jouer dans l'équipe de hockey, il est copain avec Cédric. Ce n'est pas qu'il est méchant comme tel, mais Olivier ne l'aime pas beaucoup : il passe son temps à se vanter. Selon ses dires, il est meilleur que tout le monde, a voyagé plus que tous les jeunes de son âge; il connaît tout! C'est tellement agaçant quelqu'un qui sait tout!

Théo et Olivier reviennent à pied de l'école. Faisant des balles avec la neige qui vient juste de tomber, les deux amis rigolent. Tout à coup, Olivier reçoit une énorme balle dans le dos.

– Ouille!

Il se retourne et aperçoit Cédric, le sourire triomphant.

– Essaie d'en faire une aussi grosse maintenant!

Olivier se penche et prend un gros amas de neige. Il le lance, mais tombe aux pieds de Cédric.

– C'est le mieux que tu peux faire? Ha, ha, ha!

Olivier jette un regard à Théo. Son ami baisse la tête et regarde le sol, avec son air piteux.

J'en ai assez, j'aimerais l'écraser! Il n'a peur de rien, il est toujours le plus grand, le meilleur!

*Si j'avais le pouvoir de lui montrer
de quel bois je me chauffe!*

— C'est tellement bébé de lancer des boules de neige, se défend Olivier. Théo, viens, j'aimerais te montrer la télévision que mon père a achetée.

— Je parie que notre télé est plus grosse...

— Bla bla bla, se contente de répondre Olivier.

— Eh! Attendez-moi, les gars!

— Faut-il vraiment? chuchote-t-il.

— Voyons, il peut venir avec nous...

Est-ce que j'ai vraiment le goût

qu'il vienne dans ma maison celui-là? Oh, non!

– Allez, dépêche-toi, grogne Olivier à Cédric.

Chemin faisant, les garçons continuent à s'obstiner. Théo les regarde se chamailler, se lancer la balle comme au ping-pong.

– Bon, ça suffit les gars!

– C'est lui qui a commencé, gémit Olivier.

– Tu n'es qu'un bébé! Je m'en vais chez moi, termine Cédric.

– Bon débarras!

Après un long soupir, Théo lâche bêtement à Olivier :

– Oli, pourquoi vous n'arrivez pas à vous accommoder?

– Voyons! Tu ne vois pas que ce n'est qu'un vantard! En plus, il est si bizarre…

– Il n'est pas aussi pire que tu le décris...

– C'est toi qui le dis! Il mériterait juste que que…

– Que?

– Qu'il n'ait plus rien pour se vanter!

Théo le regarde perplexe, un sourcil plus élevé que l'autre.

– Je ne comprends pas!

– S'il n'avait plus tout ce

qu'il veut, il n'aurait plus de raison d'être aussi prétentieux, vaniteux…

– Oublions tout ça et allons voir ta super télé!

En arrivant dans le salon, Théo ouvre les yeux grands, impressionné. Olivier sourit fièrement.

– On regarde le canal des sports! disent les deux amis simultanément.

Il leur arrive souvent de parler en même temps, ce qui les fait beaucoup rire. Mais c'est normal quand on est de si bons amis!

Ils s'accrochent le petit doigt instantanément. Les deux garçons ferment les yeux et font un vœu.

J'aimerais compter plein de buts à la prochaine partie, souhaite Théo.

Olivier se concentre très fort.

Je souhaite qu'il arrive malheur à Cédric!

JOURNÉE BIZARRE

Enfin vendredi, le jour préféré d'Olivier. Non seulement les congés de la fin de semaine arrivent, mais l'enseignante de la classe B de 5ᵉ année est toujours *cool* cette journée-là. Madame Sylvie permet aux enfants d'être plus détendus et il y a souvent une activité spéciale à la dernière période. Ce n'est pas pour rien que madame Sylvie est la professeure préférée d'Olivier et de ses copains.

Ce matin, le pupitre en diagonale de Théo est vide. Aucune trace de son ami Cédric. Pourtant, ils se sont vus à la pratique de hockey hier soir et tout semblait bien aller. Pour quelle raison n'est-il pas en classe comme à tous les jours depuis le début de l'année scolaire?

Oli aussi s'est aperçu de l'absence de Cédric. Il fait signe à Théo en lui montrant la chaise vide. D'un haussement d'épaule, Théo fait comprendre à son ami qu'il n'a aucune idée pourquoi Cédric n'est pas là.

Au même moment, Cédric entre dans le local en trombe.

– Désolé, Madame Sylvie. Ce-ce matin, bégaie-t-il, je me suis réveillé et-et-et toute ma chambre était inondée.

– Qu'est-ce que c'est cette histoire? Viens par ici.

Madame Sylvie tire Cédric à l'extérieur de la classe. Cédric baisse son ton de voix. Étant assis près de la porte, Olivier tend l'oreille pour comprendre ce qu'il se dit. Il arrive même à voir Cédric d'où il est assis.

Il entend madame Sylvie dire :

– Raconte-moi tout.

– Ma chambre est au sous-sol. Il y avait de l'eau partout. Mes vêtements, mes jouets, mes DVD.

Mon père pense qu'un tuyau s'est brisé dans la nuit.

— Ne panique pas. Je suis certaine que tes parents vont tout nettoyer!

— Oui, c'est déjà fait. Mais j'ai eu une de ces frousses. Je-je j'étais dans ma chambre quand c'est arrivé.

— Je comprends. Mais tes parents ont déjà tout ramassé et ce n'est que de l'eau...

À ce moment précis, le regard de Cédric devient sombre comme jamais. On dirait que ses yeux plissés brillent tellement il semble furieux.

Un grand frisson traverse le

dos d'Olivier. Il regarde autour de lui afin de voir si ses camarades de classe ont aperçu le regard diabolique de Cédric.

Est-ce seulement lui qui s'en est rendu compte?

À peine quelques secondes plus tard, Cédric est redevenu normal. Si rapidement qu'Olivier se demande s'il a bien vu les yeux de Cédric ou si c'est son imagination qui lui joue des tours.

La discussion entre l'enseignante et le garçon se poursuit de l'autre côté de la porte. Olivier s'étire pour raconter ce qu'il a entendu à Théo. En signe de réponse, son ami se contente de hausser les épaules, démontrant qu'il ne comprend pas pourquoi Cédric fait tout un plat avec ce qui lui est arrivé.

Que c'est bizarre cette histoire. Et surtout, quel hasard! pense Olivier en se remémorant son vœu de la veille.

Tous les élèves se bousculent pour se rendre jusqu'à leur casier. La journée est enfin terminée. La semaine aussi! Comme chaque vendredi, Olivier et Théo courent pour se rendre au corridor où se trouvent tous les casiers des élèves de cinquième et sixième années.

– On se calme, les garçons, gronde la surveillante. En marchant! Je répète, EN MARCHANT, dit-elle en haussant la voix.

Ils ralentissent le pas et dès qu'ils tournent le coin et sont hors de la vue de madame Beaudoin, ils repartent de plus belle.

Comme toujours, Cédric suit de près, avec son meilleur ami, Matthew. Cédric ouvre son casier et y sort son habit de neige.

– Mais... mais qu'est-ce...

– Qu'y a-t-il?

Cédric s'approche d'Olivier et

hurle :

– C'est toi qui as fait ça, hein?

– De quoi parles-tu? réplique
sèchement Olivier.

– Regarde! lui dit Cédric en
mettant son manteau sous le nez
de son copain.

– Oh! Mais ce n'est pas moi…
c'est impossible, j'étais en classe
avec toi…

Cédric lâche un cri strident
de fureur et retourne devant son
casier.

Son habit de neige est déchiré
à plusieurs endroits. En plus, il
semble taché, comme si on l'avait
traîné dans la boue.

– Tu vas me le payer, Simard. Oh oui, que tu vas me le payer! accuse Cédric en pointant Olivier du doigt.

– Mais je n'ai rien fait! Je te le jure.

Pour s'en tirer, Olivier se dépêche à accuser un autre jeune.

– Je parie que c'est le grand Pierre-Alexandre. Il était fâché à cause de la partie de hockey de l'autre jour. Je te le jure sur la tête de mon chien que ce n'est pas moi!

– C'est vrai que depuis cette histoire, P-A ne me parle plus. C'est sûrement lui! Je vais essayer de le rattraper ce grand...

Olivier n'entend pas les injures

de Cédric, car ce dernier est déjà parti en direction du casier de Pierre-Alexandre, tout au fond du couloir.

Ouf! Je l'ai échappé belle. Ce n'est peut-être pas lui, mais ce n'est certainement pas moi non plus qui ai fait ça! Je ne voulais pas me faire tabasser pour rien! se dit Olivier intérieurement, soulagé.

LA MAISON

Théo a une partie de hockey aujourd'hui. Olivier adore aller voir ses matchs la fin de semaine. En compagnie de son père, il prend place dans l'estrade du bas pour bien voir tout ce qui se passe sur le banc de l'équipe de son meilleur ami.

Oli aurait aimé jouer au hockey, mais ses parents ne cessent de répéter que ce sport est très dispendieux. « Le karaté, c'est moins cher et tellement plus utile », se plait à lui répéter sa mère. Il a donc cessé de supplier ses parents pour qu'il puisse faire partie de l'équipe des Lions lui aussi. Il se contente de suivre son équipe préférée lors des parties et des tournois.

Sur la glace, les jeunes joueurs font leurs étirements. Théo, Maxim, Simon… Olivier connaît presque tous les membres de l'équipe.

Mais où est Cédric?

À la recherche du chandail numéro huit, Olivier promène les yeux partout dans l'aréna. Il ne peut pas manquer un match, même si Oli ne l'aime pas tant que ça : c'est le meilleur joueur des Lions!

Enfin, il l'aperçoit. Sans s'en rendre compte, il lâche un bruyant soupir.

– Ça va, mon garçon?

– Euh, oui oui, papa! J'ai simplement hâte que le match commence.

La première période est difficile. Il s'agit du match le plus féroce qu'a connu l'équipe des Lions. Les adversaires sont rapides, beaucoup plus que l'équipe locale. Ils sont plus costauds aussi. C'est à croire que les joueurs sont plus vieux!

Théo prend possession de la rondelle, fait une passe à son

coéquipier, qui lui la remet à Cédric. Ce dernier se faufile sur la glace, aussi agile qu'un chat. Et... Bang!

Cédric est étendu sur la glace. Un des joueurs de l'autre équipe l'a plaqué durement contre la bande. Le numéro huit des Lions se tortille, laissant croire que son genou a tordu.

– Il n'a pas le droit de faire ça! hurle Olivier dans les gradins. Les contacts sont interdits!

Après plusieurs minutes où la foule garde un silence consternant en observant la scène, Cédric finit par se lever avec l'aide de son entraîneur et du soigneur. L'autre joueur est suspendu et il quitte la patinoire au même moment pour se rendre au vestiaire.

Olivier est debout, les yeux ronds, essayant de comprendre ce qui vient de se produire.

Est-ce que je suis à l'origine de cet incident? Est-ce à cause de mon souhait que tous ces malheurs se produisent?

À cette idée, Olivier frissonne.

La partie continue tel que prévu. L'équipe des Lions ne cesse de jouer comme des battants. En début de deuxième période, Cédric revient sur la glace. Olivier expire bruyamment, comme si on venait de lui enlever une tonne de briques qu'il traînait sur ses épaules.

Quel soulagement!

Après le match, toute l'équipe est invitée à festoyer la victoire au domaine Parenteau, où la famille de Cédric habite. Comme ils ont une énorme maison, tous les joueurs y sont conviés. Même Olivier, en tant que supporteur officiel, est invité à y aller.

Lorsque le père de Cédric a invité tout le monde, son fils semblait perturbé.

— On pourrait aller au resto, comme d'habitude…

— Mais pourquoi? Non, non. J'insiste, tout le monde à la

maison!

– La maison où il vit, c'est celle des Parker, chuchote Olivier à Théo.

– OK... Qu'est-ce que ça change?

– Il paraît qu'il s'est passé des trucs bizarres dans cette maison... du genre qu'elle change selon les propriétaires qui y habitent.

– C'est normal non? Ma mère n'arrête pas de changer la décoration chez moi et on ne déménage même pas!

– Non, elle change d'elle-même... comme si elle vivait...

– Pour vrai? C'est impossible!

– Je sais que ça semble complètement fou! Même que la rumeur soutient que toutes les souris de la ville sont dans leur cave…

– Tu dis n'importe quoi.

– Non, non, c'est vrai. Je te le jure.

– Bon, arrête, tu me fais peur là!

Les deux garçons se dirigent vers la voiture du père d'Oli, qui les conduit jusqu'à l'endroit de la célébration.

– Oh! s'exclame Théo.

Devant l'immense maison, Théo et Olivier sont sans mot. Ce qui se dresse devant eux est loin d'être la maison neuve si souvent décrite par Cédric. Au contraire, la demeure doit avoir au moins deux cents ans! On dirait une comme dans les histoires d'Halloween...

Est-ce que toutes les rumeurs sur la baraque des Parker s'avèrent exactes?

Olivier cligne des yeux à plusieurs reprises.

C'est impossible. J'ai l'impression que la maison me regarde... Les fenêtres, on dirait des yeux qui nous observent.

Un frisson parcourt son dos.

– Est-ce que j'hallucine ou il y a quelqu'un en haut? avance Oli.

— De quoi pa-parles-tu? bégaie son ami.

Olivier enchaîne à nouveau avec une question :

— Comment fait-il pour rester dans cette horrible maison?

Théo reprend le contrôle sur lui-même et joue les courageux en ajoutant :

— Allez, rentrons. Je suis certain que ce n'est pas si pire que ça. Et tout le monde doit nous attendre à l'intérieur, dit-il en essayant d'être rassurant.

— Mais… où sont les autres voitures dans ce cas? remarque Oli en voyant l'entrée vide.

Les deux jeunes regardent autour d'eux. Le seul véhicule qui est dans la cour, c'est la luxueuse auto sport des parents de Cédric.

Le père d'Olivier interrompt le silence troublant.

— Il semblerait que vous êtes les premiers les garçons! Théo, je vais déposer ta poche de hockey chez toi, dans le cabanon.

— Merci, Jacques.

La maison est faite en bois usé. Elle est impressionnante, très grande, très haute. Étrangement, les fenêtres du deuxième étage ressemblent à deux orbites où logent des yeux perçants. Même si c'est impossible, la maison semble dégager beaucoup de chaleur : la neige tout autour est fondue.

Subitement, un vent chaud, inhabituel pour cette période de l'année, se met à tourbillonner autour des garçons. Le courant d'air les surprend. Ils lèvent les yeux vers la maison et voient les planches qui se mettent à ballotter au vent, comme si c'était présage d'un événement tragique. Le ciel est lourd, la neige ne réfléchit aucune lumière et le seul lampadaire près de la maison est défectueux. À cette période de l'année, il fait noir très tôt et les deux jeunes sont plongés dans le crépuscule de la nuit.

Lorsque son père a quitté

la cour des Parenteau, Olivier murmure à son ami :

– Est-ce moi ou bien la maison semble plus sombre qu'à notre arrivée?

– On dirait qu'elle se détériore à vue d'œil. Mais ça ne se peut pas!

– C'est comme s'il y avait une présence avec nous...

– Allons-y, qu'on puisse enfin repartir au plus vite.

DÉBRIS

— Bienvenue dans mon manoir, s'exclame Cédric en accueillant ses amis.

— Je croyais que ta maison était neuve, nargue Olivier.

Cédric baisse les yeux, l'air embarrassé. Un petit mensonge, ce n'est rien... ce qu'ils verront leur fera oublier ce détail!

— Entrez.

— Mais où sont les autres? questionne Théo.

– Euh… ils ne sont pas arrivés.

C'est étrange, pense Olivier. *Je croyais que toute l'équipe venait. C'est pourtant ce qui s'était décidé après la partie.*

– Et tes parents? renchérit Théo.

– Je ne sais pas.

Les deux amis se regardent, perplexes. Comment se fait-il qu'il ne sait pas où sont ses propres parents?

Une étrange odeur règne dans cet endroit macabre. L'ambiance est à faire glacer le sang. Il n'y a aucune photo sur les murs. On dirait que personne ne vit dans cette maison…

— Voulez-vous voir quelque chose de vraiment *cool*?

Olivier est un peu effrayé, mais comme il ne veut pas avoir l'air froussard devant Cédric qui est toujours si bon, il acquiesce rapidement. Théo hoche également de la tête.

— Suivez-moi.

Les trois garçons se dirigent vers l'énorme salon.

Dès qu'ils y mettent le pied, un cri strident se fait entendre, ce qui fait sursauter Théo et Oli. Cédric, lui, ne semble rien avoir entendu.

Au salon, tout est très sombre. Fait bizarre, il n'y a aucune fenêtre pour éclairer la pièce. Comme si elles avaient été barricadées.

Oli plisse les yeux pour essayer de percevoir quelque chose dans la noirceur. Il voit plusieurs formes animales, mais n'arrive pas à identifier ce que c'est. Effrayé par ce qu'il devine dans la noirceur, Théo ferme les yeux.

Le cri se fait entendre de nouveau, ressemblant davantage à un rugissement cette fois. Cédric reste d'un calme surprenant. Il tire sur une corde et une faible lumière s'allume.

— Hiiiiiiiiii, lâche Théo.

Sur les murs, plusieurs animaux trônent. Un orignal géant fixe le mur opposé. Deux ours empaillés sont debout, prêts à dévorer les garçons. Un renard et deux loups à côté d'un majestueux foyer éteint s'apprêtent à bondir sur eux les griffes sorties, sans compter les nombreux oiseaux qui paraissent voler au-dessus de leur tête. Malgré la lumière allumée, la pièce est encore dans la pénombre.

C'est l'endroit le plus effroyable que j'ai vu de ma vie. L'ambiance glace le sang, songe Olivier.

Théo lance un regard apeuré à son meilleur ami avant de se retourner vers Cédric. En bombant le torse, il clame, un peu incertain :

— Wow! C'est vraiment *cool*

chez toi! C'est ton père qui a chassé ces animaux?

– Non… c'était déjà là quand nous avons emménagé. Les anciens propriétaires ont aussi laissé tous les meubles.

– Bizarre. Ça ne t'intrigue pas de savoir pourquoi?

– Bah… répond simplement Cédric.

La visite continue dans le bureau du père de Cédric. Tout semble normal dans cette pièce, ce qui permet aux deux garçons de reprendre leur souffle et respirer librement.

De hautes bibliothèques ornent les murs. La pièce est plutôt grande et un immense bureau est en plein centre de la pièce.

Il n'y a rien d'anormal ici. Ouf! constate Olivier, quelque peu rassuré.

Cédric allume le gigantesque luminaire installé au plafond. Des centaines de petits bibelots en forme de lynx sont apposés sur les tablettes ainsi que plusieurs cadres avec des photos de cet animal.

– Woh! Ton père capote sur les chats sauvages on dirait!

Olivier s'approche d'un bibelot un peu plus gros que les autres. Il semble tellement vrai qu'on pourrait croire que le lynx respire.

Ses yeux brillent... Il a cligné des yeux!

Des rugissements sourds résonnent dans la pièce. D'où peuvent venir ces bruits?

Rapidement, Olivier tournoie sur lui-même à deux reprises pour trouver la provenance de ces bruits animaux.

Il s'approche d'une des grandes bibliothèques et scrute les titres des livres. Le sujet de tous les livres concerne les animaux, en majorité les lynx. C'est curieux.

Les rugissements se font à nouveau entendre, cette fois encore plus puissants, ce qui fait sursauter Olivier.

– Quand le reste de l'équipe s'en vient? questionne Olivier en espérant sortir de cette pièce.

Faisant comme s'il n'avait pas entendu la question, Cédric offre aux garçons, avec des étincelles dans les yeux :

– Voulez-vous voir la cave, maintenant?

En deuxième tentative de diversion, Olivier suggère :

– J'ai un peu faim. Peut-on grignoter quelque chose?

Cédric ignore à nouveau complètement la question et répond simplement :

– OK, je vous montre ma

chambre. Suivez-moi.

– Où sont tes parents déjà?

Las de se faire questionner sur le sujet une deuxième fois, Cédric enchaîne :

– Ils vont arriver bientôt. Ne t'inquiète pas.

Après un moment de silence, Cédric continue :

– Ils devaient aller au supermarché.

Cette réponse étant minimalement satisfaisante pour les garçons, ils s'abstiennent de questionner davantage.

Il m'inquiète. Je n'ai pas du tout confiance en lui. Et encore moins en cette maison. J'ai l'impression d'être suivi en plus. Où sont ses parents de toute façon? Nous sommes supposés fêter la victoire de l'équipe, pas traîner dans les recoins de cette vieille baraque possédée! s'inquiète Olivier.

Tout à coup, un bruyant craquement, comparable à un coup de tonnerre, retentit. Olivier et Théo accourent dans l'entrée et jettent un coup d'œil dehors. Le calme le plus total règne. Le craquement se fait à nouveau entendre, mais il n'y aucune éclair à l'extérieur, ni d'orage à l'horizon dans la noirceur de la nuit.

Le bruit proviendrait-il donc de la maison?

LA CAVE

Olivier et Théo sont paralysés par la peur.

Cédric prend enfin la parole :

– Venez, je vous montre ma chambre.

Cédric ouvre une porte qui mène à la cave. Sans réfléchir, Théo ferme la porte derrière lui. L'escalier est étroit, long et très à pic. Il fait si noir que les garçons n'arrivent pas à suivre Cédric qui ouvre la marche.

Ils entendent à nouveau le cri strident. Le même que plus tôt au salon.

Olivier veut retourner en haut, mais Théo lui en empêche.

– Allez, il ne peut rien arriver de grave. On y va quelques minutes, et ensuite, on s'en va. Je suis sûr qu'il veut seulement nous montrer sa chambre.

– D'accord, soupire Olivier.

Olivier se concentre pour ne pas trébucher. Il fait si noir qu'il ne voit même pas ses propres doigts! Tous arrivés au sous-sol, il demande :

– Peut-on allumer une lumière maintenant?

Aucune réponse de la part de Cédric.

Tout à coup, il aperçoit des yeux briller dans le noir. Olivier se secoue la tête.

Qu'est-ce?

– Cédric… tu as un chat?

– Non, pourquoi?

– Euh, parce que j'y suis allergique, répond bêtement Olivier, ne sachant pas trop quoi donner comme explication.

Oli n'en rajoute pas plus. Il voit les yeux verts briller encore une fois au bas de l'escalier.

Ce sont les yeux… de Cédric!

Au même moment, une chaleur intense emplit la maison d'un seul coup. Un vent chaud qui donne l'impression que la maison a pris une grande respiration. À trois reprises, les garçons ressentent ce courant d'air qui se déploie autour d'eux.

C'est comme si cette vieille demeure était en vie.

🌂🌂🌂

Pris de panique, les deux garçons remontent les escaliers à la course.

— Il faut sortir d'ici! Cette

maison est possédée! hurle Oli, complètement affolé.

Il trébuche et tombe. Théo, le suivant de près, est freiné par la chute d'Oli.

– Ouille!

Il fait noir et les deux garçons ont peine à se relever. Arrivant devant la porte, il tente de l'ouvrir, mais elle est coincée.

– On est pris!

– Voyons, vous n'avez pas vu encore ce que je voulais vous montrer. Arrêtez de faire les bébés et descendez, ordonne Cédric sur un ton étrangement calme.

Théo soupire. Après avoir

pris une grande respiration pour retrouver son calme, il murmure :

– Faisons lui plaisir et ensuite, on s'en va loin d'ici.

Olivier et Théo redescendent les escaliers lentement. La dernière marche craque si fort que Théo sursaute. Oli met la main sur l'épaule de son ami, comme pour le rassurer. Tranquillement, les yeux des deux amis s'habituent à l'obscurité et ils réussissent à détecter les murs de la cave. Les yeux de Cédric brillent encore dans le noir. Théo ose le questionner :

– Cédric, tes yeux…

– Qu'est-ce qu'ils ont?

— Euh… rien.

— Suivez-moi.

Sans s'en rendre compte, le chandail de Théo s'accroche dans un objet qu'il n'arrive pas à identifier. En panique, il tire sur son gilet pour tenter de le décoincer. Sans succès. Ses deux amis ne voient pas l'incident et continuent de marcher pour se rendre à la chambre de Cédric complètement au fond du sous-sol.

Théo, angoissé par l'ambiance effroyable qui règne depuis leur arrivée, tire de toutes ses forces. Tout à coup, son gilet finit par céder et déchire.

— Attendez-moi.

En courant dans le noir, Théo se heurte le pied sur un autre gros objet, qui semble être un meuble.

— Ouch! Comment faites-vous pour ne pas vous cogner partout?

Olivier entend enfin les paroles de son ami.

— Ça va, Théo?

Aucune réponse.

— Théo, réponds-moi!

Théo se tortille, assis sur le ciment froid de la cave.

— Je suis là.

Olivier arrive à retrouver son ami dans la grande pièce. Il

s'agenouille à côté de lui. Il trouve à tâtons la cheville de Théo.

— Accroche-toi à mon bras, je vais t'aider à te relever. Eurk! Qu'est-ce que c'est?

Plein de petites bêtes émettant des sons aigus se promènent sur le plancher et grimpent sur les pantalons des garçons. Tous les deux crient en se trémoussant pour essayer de les faire partir.

— Cédric! Que se passe-t-il? Aide-nous!

Toujours dans la noirceur, les jeunes ne discernent pas leur hôte et n'entendent aucune réponse de sa part.

Tout à coup, un miaulement se

fait entendre. Rapidement, toutes les souris disparaissent et un silence inquiétant revient.

— Cé-Cé-Cédric? Où es-tu?

Comme si rien ne venait de se passer, Cédric répond :

— Que faites-vous, les gars? Suivez-moi!

Est-ce que j'ai rêvé?

Théo s'accroche au bras de son ami. De toute façon, personne ne peut le traiter de peureux, personne ne le voit dans ce noir absolu. Accrochés un à l'autre, ils avancent tranquillement en espérant que cette journée s'achève enfin et qu'ils puissent retourner chez eux.

À petits pas, ils se rendent devant une grande porte en bois. Cédric défait un énorme loquet, enlève un lourd morceau de bois placé en travers de l'entrée de la chambre. Doucement, la porte s'ouvre. Une lumière se dégage de l'autre côté. Les garçons vont enfin voir quelque chose dans cette affreuse cave.

L'AQUARIUM

Dans la pièce barricadée, le mur du fond au complet est un immense aquarium, illuminé de tous les côtés. Il doit y avoir des centaines de poissons nageant à l'intérieur. Plusieurs flottent à la surface, morts.

Beurk! pense Théo.

Olivier se met à éternuer, sans pouvoir s'arrêter. Il cherche du regard, dans la chambre de Cédric, ce qui pourrait être à l'origine de ces éternuements soudains.

Les autres murs sont peints d'une couleur très foncée. Il y a un énorme lit couvert de poils... de chat! C'est pourquoi Olivier n'arrête pas d'éternuer! Il reste encore quelques flaques d'eau ici et là sur le plancher, démontrant bien que la chambre a été inondée récemment. Sûrement que toute l'eau provenait d'ailleurs de cet aquarium.

— Bon, c'est tout, on peut remonter maintenant?

— Non, j'ai besoin de votre aide.

— Pourquoi faire?

— Pêcher.

— Hein, de quoi parles-tu?

– On va manger du poisson pour le repas.

– Ben voyons donc! Tes parents n'achètent pas le poisson au supermarché comme tout le monde?

– Non.

Les deux amis sont stupéfaits. Que se passe-t-il dans cette maison? Rien n'a de sens. Et pourquoi pêcheraient-ils dans un aquarium, DANS SA CHAMBRE? Et pourquoi ce ne sont pas les parents de Cédric qui s'occupent de cette tâche de toute façon?

Par le regard de Cédric, les deux amis comprennent que ce n'est pas une question à choix multiples. Ils doivent le faire, que ça leur plaise ou non.

Théo et Olivier attendent que Cédric leur montre de quelle façon ils doivent s'y prendre. Il leur donne l'ordre de plonger la main dans l'aquarium.

– Il n'en est pas question. N'as-tu pas un filet?

– Non. Allez, plonge ta main immédiatement, s'écrie Cédric.

Apeuré, Olivier plonge sa main.

– Non, pas comme ça!

Cédric pose sa main sur le bras d'Olivier pour lui montrer comment faire. Par mégarde, Olivier glisse et son bras attire celui de

Cédric dans l'eau.

Un espèce de nuage de poussière se soulève autour de Cédric. L'instant d'après, Cédric a disparu et un lynx se tient tout juste devant lui. Il mesure près d'un mètre de long et ses oreilles sont très pointues. Il a l'air un peu joufflu à cause des grands poils le long de ses joues.

Les deux invités se mettent à hurler tandis que Cédric – qui semble être devenu un gigantesque chat sauvage – se tient devant eux en montrant les griffes et les dents, comme s'il était pour les attaquer. Juste à temps, Olivier esquive un coup de patte et court vers Théo.

Cédric tente de chasser ses présumés amis.

— Allez, dépêche-toi! Il faut partir d'ici!

— Je savais qu'il y avait quelque chose qui ne tournait pas rond ici!

— Tais-toi et avance!

Les deux garçons sortent de la chambre en donnant un bon coup sur la porte pour qu'elle se ferme. Le lynx reçoit la porte en plein visage, ce qui a pour effet de le ralentir. Ils se retrouvent à nouveau dans la noirceur.

À tâtons, ils se dirigent lentement dans la cave, sans trop savoir où ils s'en vont.

– Fais attention pour ne pas te cogner, avertit Oli.

La porte de la chambre s'ouvre à nouveau, et Cédric, toujours métamorphosé, en sort d'un pas agile. Le filon de lumière permet à Théo et Olivier d'enfin voir l'escalier menant à l'étage. Rapidement, ils grimpent et se retrouvent devant la porte, toujours bloquée.

Rassemblant toute leur énergie, ils poussent du plus fort qu'ils le peuvent. En vain.

– Encore, on va l'avoir!

De nouveau, ils s'appuient sur la porte et tentent de la défoncer. Rien à faire. Cédric est au bas de l'escalier et lâche un rugissement qui résonne.

Sur le côté de l'escalier, tous les produits d'entretien ménager s'y trouvent. Théo agrippe le balai et le coince au coin de la porte pour en faire un levier. Il pousse, mais sans résultat. La porte reste bloquée. Pendant ce temps, Oli ouvre une bouteille de produit avec une image de tête de mort et le lance vis-à-vis Cédric, qui en reçoit directement dans le yeux. Un miaulement aigu se fait entendre lorsque la cible est atteinte. Cédric recule de quelques pas et se frotte les yeux avec ses pattes.

— Pousse avec moi sur le manche.

D'un grand coup, la porte se débloque enfin.

SANS RETOUR

En haut de l'escalier, une meute de lynx attend les deux enfants dans la pénombre. Les mêmes énormes félins qu'ils ont vu sur les photos dans le bureau du père de Cédric.

– Mais, qu'est-ce qui se passe ici?

Le regard menaçant, les huit lynx sont prêts à bondir sur les deux jeunes gens. Celui qui semble être le père de Cédric prend la parole.

– Ha, ha! Vous n'avez jamais remarqué que Cédric était dif-férent? Ces yeux, son agilité incomparable? Ha, ha, ha!

– Laissez-nous partir. Nous ne dirons rien à personne. Je vous le jure, supplie Olivier. Je veux retourner chez moi.

– Maintenant que vous êtes ici, vous ne partirez pas avant d'être vous aussi transformés. Tous ceux qui ont pénétré ces lieux sont devenus comme nous! Nous serons bientôt plus nombreux que les humains…

Un énorme éternuement lui coupe la parole. Olivier commence à avoir de la difficulté à respirer à cause des nombreuses bêtes. Il ne peut tout de même pas devenir un lynx et être allergique à lui-même, ça le tuera!

Réfléchis, Olivier. Il doit y avoir une façon de partir d'ici. Pense! Allez, pense!

D'autres félins s'ajoutent autour d'eux et derrière, Cédric bloque la porte pour retourner à la cave.

— Vous croyiez que les Parker sont partis de la ville? Hé non, ce sont nous qui avons pris possession de leur maison. C'est l'endroit idéal pour se cacher : la maison a des pouvoirs que vous ne pourriez jamais imaginer.

– Donc, les rumeurs sont vraies…

– La maison nous a toujours protégés, jusqu'à cette semaine. Quand l'eau a commencé à couler, on a bien vu que quelque chose se passait. Est-ce toi, Oli?

– Non… non, bégaie-t-il.

– Ne m'aurais-tu pas souhaité malheur? accuse Cédric, les griffes enfoncées dans le plancher de bois, prêt à attaquer.

– Euh…

– Cette maison est si sensible. À cause de toi, il faudra trouver un autre endroit où se réfugier. Mais avant, on va s'assurer que vous ne vous mettrez plus dans notre chemin.

— Où sont les Parker maintenant?

Personne ne répond.

Les deux garçons paniquent. Que va-t-il leur arriver? À chaque pas qu'ils tentent de faire de côté pour s'échapper, une des énormes bêtes leur en empêche. Ils vont devenir comme eux!

Les griffes et les dents sorties, les félins sont prêts à bondir sur eux et n'en faire qu'une bouchée. Le plancher bouge. La maison tremble de terreur. Toutes les pièces de la demeure craquent, comme si cette dernière se tordait pour se défendre.

– Nous n'avons plus beaucoup de temps, dit le chef. Il faut partir avant l'aube.

Olivier s'écrie, en désespoir, souhaitant que son vœu se réalise à nouveau :

– Je souhaite que cette maison se détruise d'elle-même et emporte tout ce qu'il a de maudit avec elle!

Malgré qu'il ait crié son souhait, rien ne se passe.

Olivier glisse la main dans sa poche et y trouve une poignée de bonbons. Il se rappelle alors que son chien vire fou quand il lui lance un biscuit. Peut-être que les bonbons peuvent faire diversion.

Les lynx agissent peut-être comme des animaux domestiques.

Olivier sort quelques friandises de sa poche et les lance le plus loin qu'il peut. Les lynx, surpris, se retournent et bondissent instinctivement dans cette direction. Ils ont quelques secondes pour s'échapper.

– Cours, Théo.

Les deux amis courent vers le salon et ferment les immenses portes derrière eux. Ils poussent un meuble très lourd devant l'entrée de la pièce pour empêcher les félins de les joindre. Ils lâchent un grand soupir quand ils se savent enfin saufs.

— Je comprends maintenant pourquoi il fait si noir dans cette maison. Les lynx ont une excellente vue dans le noir, comparativement à nous, explique Théo, à bout de souffle.

— C'est logique. Mais là, il faut trouver une façon de sortir d'ici au plus vite. C'est de la folie ici. Une maison qui vit, des chats sauvages qui parlent…

— Qu'est-ce que…

Théo ne termine pas sa phrase. Tout à coup, dans la pénombre, les deux jeunes voient bouger. Les animaux empaillés bougent!

Lentement, la troupe de différents animaux s'animent comme

s'ils se réveillaient d'un long sommeil. Les oiseaux tournoient au-dessus d'eux, les autres, avec une démarche robotique, s'avancent vers Olivier et Théo, pétrifiés.

Ils sont entourés. Il leur est impossible d'y échapper!

LE COMBAT

À pas lents, la quinzaine d'animaux encerclent les deux enfants. Le puma, les ours, les loups sont effrayants. Ils sont prêts à sauter à leur cou dès que Théo ou Olivier fera un geste. Ils murmurent, abattus :

– On est foutus.

Très doucement, un des ours fait à nouveau un pas. Il est si proche d'Olivier qu'il sent sa respiration faire bouger ses cheveux. Les dents de l'ours sont presque posées sur la tête du garçon. Olivier ferme les yeux du plus fort qu'il peut, comme si ça pourrait lui permettre de ne pas sentir la douleur.

– On va vous aider.

Olivier se secoue la tête, persuadé qu'il a halluciné la voix.

D'un ton bas, l'ours répète :

– Il y a maintenant vingt-cinq ans que nous sommes prisonniers de cette maison, vous êtes pour nous l'occasion idéale de nous échapper. Si vous nous aidez, nous y arriverons.

– Je ne comprends pas…

– Nous sommes les Parker.

Un long silence s'en suit. Olivier et Théo sont abasourdis par cette révélation. Depuis tout ce temps, les Parker sont prisonniers de leur propre maison.

Monsieur Parker reprend la parole :

— Les Parenteau et leurs acolytes ont voulu faire de nous des lynx mutants comme eux, mais la transformation s'est mal passée pour nous. Quand ils ont vu le résultat, ils nous ont condamné, avec leurs pouvoirs, à orner leur salon. Cette maison a un contrôle incompréhensible sur les gens de cette ville. Comme si elle avait une âme. Vous pouvez constater que plusieurs autres se sont retrouvés dans le même état que nous.

— Et comment pouvez-vous bouger?

— Seulement quand des gens qui ne sont pas mutés entrent ici, il se passe un phénomène étrange, nous prenons vie en forme animale. Pour conjurer le sort, il faut sortir de cette maison maudite. Nous reviendrons alors humains... je suppose.

Olivier et Théo se consultent du regard. C'est incroyable et surtout, toute cette histoire semble impossible. Mais veulent-ils passer la fin de leurs jours à errer en lynx? Non, au grand jamais. Ils veulent retourner dans leur maison respective et vivre normalement.

– Quel est le plan? répond enfin Théo, sûr de lui.

– La meute ne sait pas qu'on peut bouger.

La porte s'ouvre lentement. La meute féline attend, assoiffée, sachant qu'elle aura enfin deux personnes de plus dans son clan. Lorsque les dents transperceront la peau des jeunes garçons, ils transformeront en lynx.

Théo est apeuré. Il sert d'appât

pour les lynx. Les félins entourent maintenant les garçons à nouveau. Des miaulements aigus, presque des cris comme ils ont entendu plus tôt, silent leurs oreilles. Ce sont eux qui font ce bruit atroce!

Les lynx bondissent sur eux. Avec leurs griffes, ils plaquent les enfants au sol. Au même moment, le troupeau d'animaux du salon attaque.

Ils ont peu de temps pour agir : si les enfants se transforment à leur tour, ils deviendront figés et tout sera perdu.

Un ours et un loup s'approchent pour sauver les enfants tandis que le reste des animaux tentent de tuer les lynx. Des miaulements retentissent fortement à cause de la douleur, mais d'autres lynx apparaissent de nulle part. Ils sont plus d'une trentaine à livrer le combat. Olivier réussit à se libérer et grimpe sur l'ours. Il cherche Théo, mais ne le voit pas. Du coup, il entend la voix de Théo :

– La lumière, Oli, la lumière!

Olivier court et ouvre tous les interrupteurs. Il poursuit sa course vers l'entrée et allume également la lumière.

Les animaux voient enfin le combat qu'ils mènent. Le renard est affaibli sur le sol, mais les ours prennent le dessus sur leurs adversaires. Des cris et des hurlements se font entendre de tous bords, tous côtés.

Certains lynx tentent de s'enfuir, blessés. Les Parenteau continuent de se battre, convaincus qu'ils vaincront. Mener une simple bataille ne viendra pas à bout d'éliminer les lynx. Une autre solution doit être trouvée.

Olivier se dirige vers la porte d'entrée. Ils attirent les animaux pour qu'ils évacuent la maison pendant que les ours retiennent les Parenteau et plusieurs autres lynx encore debout après cet affreux carnage.

Tout à coup, une idée survient

dans la tête de Théo. Il accourt vers la cuisine et ouvre les portes d'armoire. Il prend la bouteille d'huile végétale qu'il y trouve.

Il revient dans le corridor où le combat continue. Il grimpe sur un des ours et s'agrippe fortement. Il ouvre la bouteille et en déverse par terre, où se tiennent les lynx. Instantanément, ils se mettent à déraper sur le plancher. Olivier ouvre la porte de la cave et les ours poussent les lynx restant dans l'escalier.

Rapidement, les deux garçons et les quelques animaux qui restaient dans la maison se dirigent vers la porte d'entrée principale et sortent à l'extérieur.

D'un seul coup, la maison émet un long sifflement comme si elle expirait très fort.

ÉPILOGUE

Depuis vingt-cinq ans, les prisonniers n'avaient pas vu la lumière du jour.

Un nuage de poussière se soulève sur la neige. Dans un tourbillon impressionnant, la transformation des animaux s'effectue. Quelques secondes plus tard, plus d'une quinzaine personnes se tiennent debout et crient de joie. Tous des enfants prisonniers au cours du dernier quart de siècle. Ces enfants recherchés depuis si longtemps et qui n'ont jamais vieilli depuis. À travers les jeunes se tiennent les Parker, le couple à qui appartenait la maison avant que les Parenteau en prennent possession.

Olivier et Théo ne pensaient pas qu'en entrant dans cette maison-là, ils rendraient la vie à tous ces gens.

Un des hommes se lève et s'approche de la maison. La vieille baraque semble le regarder droit dans les yeux.

— Brûle, abominable maison. Brûle.

Comme s'il venait de lui jeter un sort, des flammes apparaissent à travers chacune des fenêtres. Des miaulements et des rugissements se font entendre dans la nuit, confirmant que le règne de ces bêtes est bel et bien fini.

REMERCIEMENTS

Un merci spécial à Richard pour la magnifique page couverture : elle est trop *hot*!

DANS LA MÊME COLLECTION :